あなたの声と滑舌がどんどんよくなる本

オノマトペ研究家
藤野良孝
フリーアナウンサー
海保知里

青春出版社

はじめに

皆さんは、テレビで話すアナウンサーのように「いい声を出したい」と思ったことはありませんか？　アナウンサーの出す声は、声が美しく滑舌（かつぜつ）もよく、話している言葉がグイグイと耳に入ってきますよね。

そして、新型コロナの影響で

・マスク越しやソーシャルディスタンスを保った会話
・オンラインでの会議やコミュニケーション
・オンラインでの面接

などが広まった今、改めて「声」の重要性に気づかされたのではないでしょうか。

欧米人から、「日本人の声はボソボソと小さく、聞き取りづらい」と指摘されることがよくあります。その理由のひとつと考えられるのが、日本語の胸式発声です。肋骨（ろっこつ）の筋肉を使い胸を膨らませる発声法なので、呼吸は浅く、声は小さめになります。

これに比べて、英語は腹式発声です。伸縮性の高い横隔膜を上下に動かし、お腹を膨らませる発声法なので、呼吸が深く、声は大きくなります。

そのため、ビジネスの場などで、欧米人と日本人がプレゼンテーションを行うと、日頃から自然と大きな声を出している欧米人に対して、日本人は声量の面で、どうしても見劣りしがちです。

声の質に話を転じると、動物は「声の魅力」が重要であることが示唆されています。たとえば、スズメの雄は、求愛行動で「さえずり」を行います。このさえずりが魅力的だと、雌を確保することができるのだそうです。

これらは大同小異、私たちの普段の生活の中で起こっていることと同じではないでしょうか？

そもそも、人や社会における重要な伝達の大半は「声」で行われているわけですから、その声が弱かったり、不明瞭だったとしたら、周囲の人々に聞く耳を持ってもらえません。反対に、力のこもった感情豊かな声で、発音も明瞭だと、人々は自然とその魅力に惹きつけられて、聞く耳を持ってくれるはず。大事なことは「伝える声より、伝わる声」。つまり魅力的な声を出す、ということなのです。

この点を総合的に捉えた場合、マスク越しやソーシャルディスタンスを保った会話や、オンラインでのコミュニケーションが普及している今だからこそ、アナウンサーのような好印象を与える「声」の存在が、あなたの武器（強み）になるのです。

新しい日常が求められるようになった今、今後、「声」という伝達ツールの価値の育成が不可欠になるでしょう。

読者の皆さんの中には、「声」よりも「顔」のほうが重要だと考える方が多くいるかもしれません。ですが顔は、もう一度生まれ変わるか、整形でもしない限り変わりません。

しかし「声」は、トレーニング次第で、今この瞬間から、ガラリと変えられるチャンスがあるのです。

内面を映し出す声は、外面（顔）とセットです。「声がよくなれば、外面や能力までもよく見えてくる」と言えるのではないでしょうか。つまり、声が変われば印象が変わり、印象が変われば魅力度が増し、魅力度が増せば運がよくなる。そして人生がだんだんとプラスに好転してゆくことでしょう。

そこで、皆さんには、誰にでも親しみやすいオノマトペを用いたレッスンをスタートしていただき、アナウンサーのような「声」と「滑舌」のスキルを、サクッと身につけてもらいたいと思っています。

声は必ず変えられます。

未来のあなたを輝かせるのは、これからアップデートしてゆく「声の力」なのです。

あなたの「声」と「滑舌」がどんどんよくなる本　もくじ

「声」と「滑舌」で、印象も評価もガラリと変わる！

「声」がどんどんよくなる！

「滑舌」がどんどんよくなる！

「話し方」がどんどんよくなる!

本文デザイン…青木佐和子
本文イラスト…瀬川尚志
編集協力………上原章江

「声」と「滑舌」で、
印象も評価も
ガラリと変わる！

リモート＆マスク時代の必須スキル「声」と「滑舌」は

私たちの生活は、主に口から発する言葉により物事や感情を伝えることで成り立っています。新型コロナウイルスの感染拡大により、常時マスクをする生活や、直接会って会話できない生活が突然はじまってしまい、ほとんどの人がさまざまな不具合を感じていることでしょう。

とにかくマスクをして話すのは難しいです。

自分で思った以上に声量が落ちているので、滑舌をよくし、はっきりした話し方を心がけ、身振り手振りなども加えないと、伝えたいことがなかなか伝わりません。

私（藤野）は、大学で一部の講義を対面で行っていますが、マスクをしているため、普段の2倍ほどの声を意識して出しています。ですが、生徒はそうはいかないので、残念ながら彼らが何を言っているのかなかなか聞き取れません。そんなときは、聞き返すほうも、聞き返されるほうも、どうしてもストレスを感じてしまいます。

つまり、コロナ禍においては、適切な声と滑舌で話さないと、相手に気疲れを与えてしまう可能性があるのです。

この状況は残念ながらまだしばらく続くと思われるので、私たちはどうにかして、マスクをしていても聞き返されない話し方を模索していかなければなりません。そしてそれは、時代とともに生きていく上での、必須スキルとなっていくことでしょう。

問題は、声や滑舌だけではありません。マスクをしていると口元が見えないので、目と手の動きが、以前よりも重要な要素となっています。私たちのコミュニケーションのとり方は、徐々に変化しているのです。

たとえば、マスクをしていると口元は見えないため、身振り手振りが大きいほうが話は伝わりやすくなります。大きなジェスチャーは、「私はあなたに伝えようとしています」という気持ちの表れであり、親切心の表れにもなります。

さらに、コロナ禍の時代になり、マスクを外していても、新たな話し方のスキルが求められる場がひとつ増えました。オンライン会議やオンライン面接の場です。

以前はアナウンサーやタレントなど、特定の職業の人だけの世界だったモニター越しの会話が、広く一般の人の生活の中に急速に入り込んできたのです。

多くの方が、必要に迫られてリモートによる会話をはじめたものの、自分の思いがちゃんと伝わっているのか、相手の思いをちゃんと受け止められているのか、今ひとつ不安な気持ちを拭えないまま、日々を過ごしているのではないでしょうか。

リモートの場合、聞き手は話し手の印象を、画角の中だけで判断することになります。レンズからの距離、レンズを見る角度などにも気をつけなければなりません。

でも、やはり最も大切なのは、声と滑舌、そして話し方です。

ですから、話し方のプロであり、リモートによる会話のプロでもあるアナウンサーのテクニックは、私たちにとって、非常に参考になるはずです。

アナウンサーのような声と滑舌を手に入れれば、マスク越しでも、リモートでも、自信を持って話すことができ、明確に物事や感情を伝えられるようになるでしょう。

就活でも、話し方の重要性がますます高まっている

新型コロナウイルスの感染拡大に伴って、就活においても、面接はリモートが主流になりつつあります。学生に対して、オンライン面接を行っている企業は、大手就職活動サイトなどの調査によると6割を超えています。

オンライン面接は、まさに画角の中だけで判断されることになるので、対面面接以上に、声のトーンや話し方に気を配る必要があります。

そうした中で、どうすれば相手の印象に残る存在になれるでしょうか。

学生の皆さんは、何を話すのか、その内容ばかりに気持ちが向いているようです。でも、リモートの場合、実は何を話しているか以上に、声や話し方が相手に与える印象が非常に大きいのです。

今の若い人たちは、メールやLINEなど、声ではなく、文字でのやり取りに慣れすぎている感があります。でも、一次面接はメールや書類かもしれませんが、最終選考に近づくほど、リモートや直接の面接など、声によるやり取りが必要になるはず

です。

実際、内定の電話をはじめ、ビジネスでもプライベートでも、ここ一番というときは、やはり声による伝達がほとんどでしょう。

結局、昔も今も、社会を動かしているのは声なのです。

それでも以前は、私たちはあまり声を意識せずとも普通に生活することができました。しかし、これからの時代は違います。声の重要性を意識せざるを得ません。「オノマトペ練習法」でいい声を身につければ、それは就活においても、仕事においても、必殺技になることは間違いないでしょう。

「声」と「滑舌」で、あなたの印象も評価もガラリと変わる

マスク越しの会話や、リモートでの会話が日常になった今、私たちは、常に相手に声を届けることを意識して話さなければなりません。

これまで控えめな声で話すことで問題なく暮らしてきた人も、これからはよく響く声で、滑舌よく話さないと、「なんだか暗い人だな」「はっきりしない人だな」など、マイナスのイメージを持たれてしまうことになるでしょう。

その人が持つ印象において、声の重要度が上がっている今、声を変えることは、その人のキャラクターを変えることにも直結しています。

逆に言えば、姿勢や身振り手振りも含め、声や話し方をデザインしていくことで、自分のキャラクターや印象を変えることができるわけです。

つまり、あなたがまわりの人からどんな風に見られたいのか、どんな存在でいたいのかによって、目指すべき声や話し方は変わってきます。

なりたい自分を思い描き、そこから理想的な声や話し方をイメージして、それに向

けて「オノマトペ練習法」でトレーニングをしていけば、あなたのキャラクターや人に与える印象、さらに評価まで、大きく変えることができる、ということです。

人の印象にかかわる声や話し方の要素はいくつかありますが、わかりやすい例として、声の高さとテンポで考えてみましょう。

女性の場合、基本的に、声が高い人のほうが明るく若々しいイメージを人に与えます。だからといって、高ければいいわけではありません。会社で責任あるポストを任されている人などは、落ち着きと信頼感のあるキャラクターを声から演出する必要があるでしょう。そんなときは、ある程度低めの声を出したほうが、説得力が増します。

また、話すテンポが相手に与える印象も、とても大きいです。

戦場カメラマンの渡部陽一さんは、普段はすごくゆっくりしたテンポで話されていますが、生死に関わるようなドキュメンタリーのナレーションをするときは、早いテンポで語られています。聞いている人は、普段とはまるで異なる緊迫感を感じるはずです。渡部さんは、状況によって声のパフォーマンスを変えているのです。

これからは、一般の人も、渡部さんのように状況次第で自分の声を使い分けることが必要な時代になりつつあると言えるでしょう。

実は私（海保）は、もともとすごく早口なのですが、仕事をしているときは、相手に安心感や信頼感を感じていただきたいので、意図的にゆっくり話しています。

ところが、素の自分のときは、頭でよく考えずに口から先に喋っている感じになりがちです。すると話は散らかってしまい、何気ない会話の中で、相手を不快にさせてしまう言葉がぽろっと出てしまうこともあります。

これに対して、意識してゆっくり話せば、それだけで心と呼吸が整い、話す内容も頭の中で整理されるので、失言も減ります。

ですから、話すときは、あるべき自分をイメージして、声の高さやテンポを調節することが大事であり、そのためには、心と呼吸を整えておくことがとても重要です。

心と呼吸が乱れていると、いい声は出ません。伝えるべき言葉が飛んでしまったり、失言も出やすくなります。一度声に出した言葉は、なかったことにすることは決してできないので、話すときは、まずは心と呼吸を整えておく必要があるのです。それがよい声、よい印象、そしてよいコミュニケーションにつながっていくのだと思います。

その点「オノマトペ練習法」は、声と滑舌だけではなく、心と呼吸を整えるトレーニングにもなっているので、幅広い方々に役立つ内容になっていると感じています。

そもそも声は、トレーニングをしないでいると、必ず老けます。少しずつ、元気のないしゃがれた声になっていくのです。

風邪をひいて1週間寝込んだあとのしゃがれた声を思い出してください。あれは風邪で声帯が炎症を起こした結果でもありますが、声帯と声を出すための体中の筋肉、話すときに動かす顔の筋肉などをずっと使っていなかったことで、声が衰えた＝老けた結果なのです。声が老けてしまえば、当然その人の印象も老けてしまいます。

もっとも大切なコミュニケーションツールである声が老けてしまうなんて、考えただけでぞっとしませんか。

私たちが日頃、気持ちよく声を出し、話していられるのは、毎日声帯や筋肉を使い続け、鍛えているからです。人と会う回数が以前よりも減って、話す時間そのものが減っている今、何のトレーニングもしないでいると、声はどんどん老けてしまうでしょう。

声も滑舌も、健康的な若々しさを保つためには、トレーニングが必要です。

まずは1週間「オノマトペ練習法」を試してみましょう。表情も印象も若々しく明るい感じが出てきて、トレーニングの効果と必要性を実感いただけると思います。

アナウンサーは、どんなトレーニングをしているのか

私（海保）がTBSのアナウンサーとして採用されたときは、入社後すぐ、数か月間にわたってアナウンス研修を受けました。

研修のスタートは、「無理なく出せて、人の心にちゃんと届く、自分の〝本当の声〟を探そう」でした。

誰しも意識すれば、ある程度、高い声も低い声も出るはずです。自分が出している素の声は、必ずしも〝本当の声〟＝正解ではありません。本当の声は、自分が無理なく出せていることが基本ですが、人が聞いて心地のよい声だと感じてもらえる声が、この場合の正解と言えるのだと思います。

アナウンサーの場合、ナレーションなどは、ディレクターの指示によって声を変えるので、高めの声、低めの声など、いくつかの声が自然に出せるようにトレーニングをしました。声の重要性が高まった現代では、一般の人も、ある程度高い声も低い声もそれなりに出るようにしておいて、状況によって使い分けるくらいの気持ちが必要

になっているのかもしれません。

アナウンス研修で学んだことはほかにもたくさんありますが、中でも印象に残っているのは、正しい姿勢と腹式呼吸です。

姿勢が悪いと暗い印象を与えますし、いい発声ができません。いい発声とは、体を楽器のように共鳴させないと出ないので、声を発しながら、自分自身を体全体で表現していることにもなります。ですから、姿勢を意識するだけでも、その人全体が生き生きとしてくるのです。

腹式呼吸は、研修でもしっかりトレーニングしました。ちゃんとできているか確認するために、床に寝て、空気がお腹に入っているか、お腹から出ているかを確認したのをよく覚えています。腹式呼吸はアナウンサーの基本なので、焦って胸式呼吸になったりしないように、今でも常に注意を払っています。

口角を上げることも、研修で何度も注意されたことのひとつです。笑顔を意識して口角を上げるだけで、顔の表情はもちろん、声も話し方も自然と明るくなります。これは、マスク時代の今、特に大事なことだと感じています。私もアナウンス研修の講師をさせていただくことがあるのですが、とにかく〝口角を上げて笑顔で〟、という話を何度もしています。

今はみんなマスクをしているわけですが、マスクをはずしてみると、ほとんどの人は口角が下がっていて、とても暗い表情になっています。マスクをしているため、自分の表情を意識することが減っているのでしょう。表情が乏しいと、その人の魅力は落ちてしまいます。口角を上げるだけで、人に与える印象をガラッと変えることができるはずです。

もうひとつ、アナウンス研修でとても勉強になったのは、現場からの中継映像を練習で撮影してもらい、その映像を自分を含め、みんなで見ることでした。

自分が話している映像や録音を客観的に鑑賞してみると、自分の欠点がたくさんわかります。

チェックポイントは、軸のしっかりした正しい姿勢ができているか、ちゃんと腹式呼吸で話しているかをはじめ、声の高さや話すスピードが人に不快感を与えていないか、カメラの見方は適切か、その場にふさわしいジェスチャーをしているか、などです。

どれも、マスク時代の今、確認したいポイントばかりですが、特にカメラの見方は、リモートでの会話のときに重要なポイントになると思います。見ている位置が高すぎるとアゴが上がってしまいますし、低すぎると、うつむいた感じになってしまいます。

今も必ず続けているトレーニングとしては、滑舌の練習があります。

本番前に、「あえいうえおあお」を大げさにはっきりと口を開けて、何度も繰り返します。これは、いわば口の筋トレです。次に「外郎（ういろう）売りの口上（こうじょう）」という、アナウンサー定番の滑舌練習をひと通りやって、それから仕事に入ります。

滑舌練習は地味な作業ですが、何度も続けていると、慣れていない人は顔が筋肉痛になります。それくらい筋肉を使うので、やればやるだけ、確実に効果があります。声や滑舌がよくなるのはもちろん、それまで使っていない筋肉を使うことで口角が上がり、顔の筋肉が引き締まり、頬骨の肉が上がることで、自然と表情も明るくなるのです。

そうやって声や滑舌、話し方のトレーニングをした上で、人と話すときにそれまで以上に練習したことを意識してみる。そしてまたトレーニングをする。今でもその繰り返しです。

皆さんも「オノマトペ練習法」でトレーニングしてから、人と話すときに練習したことを意識し、そしてまたトレーニングをするということを繰り返していると、普段話すときの話し方が、だんだん変わってくるはずです。そして、声と滑舌、話し方が変わるだけでなく、表情が変わり、あなたの印象も確実に変わってくると思います。

オノマトペ練習法で、アナウンサーの「声」と「滑舌」を短期間で身につける！

私（藤野）が実際に海保さんのような素晴らしいアナウンサーの方とじかに話してみると、その声の響き、言葉の聞き取りやすさ、表情や相づちの打ち方など、一般の人とは別次元であることに驚かされます。

私たちが、こうしたアナウンサーの話し方に近づくためには、必ずトレーニングが必要です。ですが、今まではプロ向けの高度なトレーニング方法しかなく、なかなか一般の人が取り組めるものがありませんでした。

その点、「オノマトペ練習法」は、誰でも気軽に取り組める内容になっています。

オノマトペとは、人や動物、モノなどが発する音や声を表す「擬音語」と、状態や心情を表した「擬態語」をまとめた言葉です。例えば、「犬がワンワン吠える」の〝ワンワン〟、「心臓がドキドキする」の〝ドキドキ〟など、たくさんの言葉があり、幼児語に分類される、非常にハードルが低い言葉です。

「オノマトペ練習法」なら、1週間ほどトレーニングを続けてオノマトペを唱えていけば、気がついたら、通る声で、ハキハキと滑舌よく、話せるようになっているのです。

アナウンサーのように印象のよい声と滑舌が、オノマトペという取り組みやすい練習法で、しかも短期間で身につけることができるのは、非常に画期的なことだと感じています。

トレーニングに際しては、まず、自分の声を録音して、今の自分の話し方を俯瞰して確認するところからはじめましょう。自分の声は思ったよりも高いか・低いか、老けているか・幼いか、滑舌がよい・悪い、スピードが早い・遅いなどを、自分の耳で確認してください。

Ｚｏｏｍなどを活用して、表情を確認することも大切です。例えば一人だけで会議を設定し、一人で語るところを録画して見直せば、話しているときの自分の姿や印象を、客観的に見ることができるでしょう。

冷静に自分の現状をつかんだら、そこから自分の声や話し方をどう変えたいのか考え、自分の声をデザインしましょう。最終的な目的を意識しながらトレーニングを開始すれば、確実にあなたの声と印象を、思う方向に変えることができるはずです。

そうはいっても、誰しも、新しいことをとりいれるのは、簡単ではありません。ストレスがかかるし、かなりのエネルギーも必要です。

ですから皆さん、まずは「自分の声を変える」と、宣言してみましょう。

「私の声は変わります」「はい」。と、口に出して言ってみましょう。

そして、声が変わってキラキラ輝いている自分を想像しましょう。仕事やプライベートで生き生きと人と語り合っている様子や、面接試験で合格した姿を想像してみましょう。

これは、学術的には「アファメーション」といって、自分の夢や目標を肯定的に宣言することで人生を自分が望む方向に近づける、一種の自己暗示です。史上最強の水泳選手といわれるマイケル・フェルプスさんなども使っている手法です。「私は金メダルをとる」というふうに自己宣言し、実際にメダルをとる。フェルプスさん以外にも、スポーツ選手の多くの方が活用しています。

そして、自己宣言ができたら、さっそくトレーニングを開始しましょう。

「オノマトペ練習法」はどのセクションも独立してトレーニングできるようになっているので、もくじを見て、今の自分に必要と思う部分や、自分はここが弱いと思うところからトレーニングに入ってください。すぐにでも、効果を感じてもらえると思います。

それからセクションを一つひとつ増やしていけば、最終的に、アナウンサーのような声と滑舌が手に入れられるはずです。

「オノマトペ練習法」には、発声はもちろん、呼吸、姿勢、表情、間合いなど、総合的な要素が含まれているので、思った以上に奥が深い、学びの場になると思います。

「声」が
どんどんよくなる！

体のウォーミングアップ

アスリート同様に、アナウンサーもウォーミングアップなしには話せません。

海保知里

声は、のどはもちろん、全身を楽器のように使って出すものなので、緊張していたり、筋肉がこわばっていたりすると、いい声が出ません。

私の場合、本番前は立ったまま軽くストレッチをして体をほぐし、全身の緊張をとるようにしています。

特に、寒いと余計に体が固まってしまうので、冬場の中継のときなどは、その場で何度かジャンプして体を温め、全身の血行をよくしてから話しはじめるようにしています。

発声のために体をリラックスさせるには、オノマトペが効果的です。

藤野良孝

メジャーリーグで大活躍したイチロー選手は、常に、入念に体のストレッチを行うことで知られていました。

ストレッチは、体のコリをほぐし、血流をよくして、リラックス効果を促します。体がリラックスしていれば、余計な力を入れずに効率的なスイングをすることが可能になるのです。

同様に、体がリラックスできていれば、声を出すためのパーツに無駄な力が入らず、よい声が出しやすくなります。

よい発声を行うための第一歩は、体全身をほぐしてリラックス！

下記のウォーミングアップを行いながら、体がリラックスしていくのを感じてください。

◎首と肩の「くるんくるん」体操

「**くるんくるん**」とゆっくり言いながら、首と肩を大きく回してください。
首は右回りと左回り、肩は前回し後ろ回しを、それぞれ3回ずつ行います。
ストレッチの回数は目安ですので、無理のない範囲で行いましょう。
他のストレッチも同様です。

◎腕の「ぐーぐー」体操

「**ぐーぐー**」とゆっくり言いながら、右腕、左腕を抱えるように伸ばして3回ずつ行ってください。

◎肩、肩甲骨、顔の「ぎゅーっ」「ぱーっ」体操

10秒間、「**ぎゅーっ**」と言いながら、力を入れて肩を上げます。
その後、15秒〜20秒間、「**ぱーっ**」と言って力を抜いてください。

同じ要領で、肩甲骨（ひきつけて力を抜く）、顔の表情筋（すぼめて力を抜く）も３回ずつ行ってください。

この方法で、いつでもすぐにリラックスできるようになります。

舌のウォーミングアップ

舌のウォーミングアップも、アナウンサーのルーティンワークのひとつです。
舌周りの筋肉の可動域が広がり、発音もクリアになります。

「れろれろ」「くるりくるり」「べーっ」で、発声力（舌のコントロール）が上がります！

人が話すときは、構音器官（言葉の発音にかかわる器官：舌、口唇（こうしん）、軟口蓋（なんこうがい）など）を使って音声が出力されます。

中でも、最も重要な構音器官と言われているのが、舌。口腔内における舌の位置や移動、変形により、母音や子音が生成されます。

日頃から舌の運動を行って舌の可動域を広げておくと、舌の移動、変形がスムーズに、かつ音の生成が楽になり、聞き取りやすい発音になると考えられます。

◎「れろれろ」運動

舌を少し出して、(**れろれろれろれろれろれろ**)とイメージしながら、左右に素早く動かします。

◎「くるりくるり」運動

口を閉じて、(**くるりくるり、くるりくるり**)とイメージしながら、舌で頬の裏や唇の裏をこするようにして、八の字に大きく動かします。10回行ったら、逆回りで同様に10回行います。

◎「べーっ」ストレッチ

「あっかんべーっ」のように、舌を下に目いっぱい出します。
アインシュタインの写真ように、アゴの下に届かせるつもりで出してください。
舌の奥を下方向に伸ばすイメージです。
反対に上にも舌を伸ばします。鼻の頭に届かせるつもりで出してください。
各10回ずつ行います。

姿勢づくり

よい「発声」は、よい「姿勢」がつくります。

姿勢はアナウンサーの基本のひとつ。アナウンス研修でも、先生から最初に注意されるのが姿勢です。

体は音を奏でる楽器のようなものなので、その楽器の状態（姿勢）がよければよい声が出やすくなるし、悪ければ声は出にくくなります。

また、姿勢は、その人の印象を大きく左右し、相手に対する誠意を表します。オンライン面接などでは、画面に映っている範囲だけで判断されるので、全身全霊で姿勢に注意したほうがよいでしょう。

「ピーン、ふっ」のオノマトペで、正しい姿勢を保てます！

「体は楽器である」とよくいわれますが、自分の体の中に、音を出すための直線の管が通っている様子をイメージしてみてください。もしも、その管がクニャッと曲がっていたらどうなるでしょうか？　息はスムーズに出ず、きれいな音は決して出ないでしょう。

発声も同じ。いい声を出すためには、息をスムーズに送り出す正しい姿勢を意識的につくり出すことが大切です。

しかも、姿勢がよくなると、この人は「できそう！」「しっかりしてそう！」と、あなたの印象もアップします。

人によっては、「ピーン」のイメージだと無意識に背筋を「ウィーン」と反りすぎてしまうことがあります。

そこで「ふっ」と軽く息を吐くと、反りすぎた背筋がちょうど真っすぐになります。

できれば、鏡を見ながら行うとよいと思います。

よい姿勢を保つことで印象がよくなり、あなたの出す声を聞いてみたいと思ってもらえるでしょう。

◎座った状態

「**ピーン**」で背筋をのばし、

「**ふっ**」と息を吐いてアゴを少し引きます。

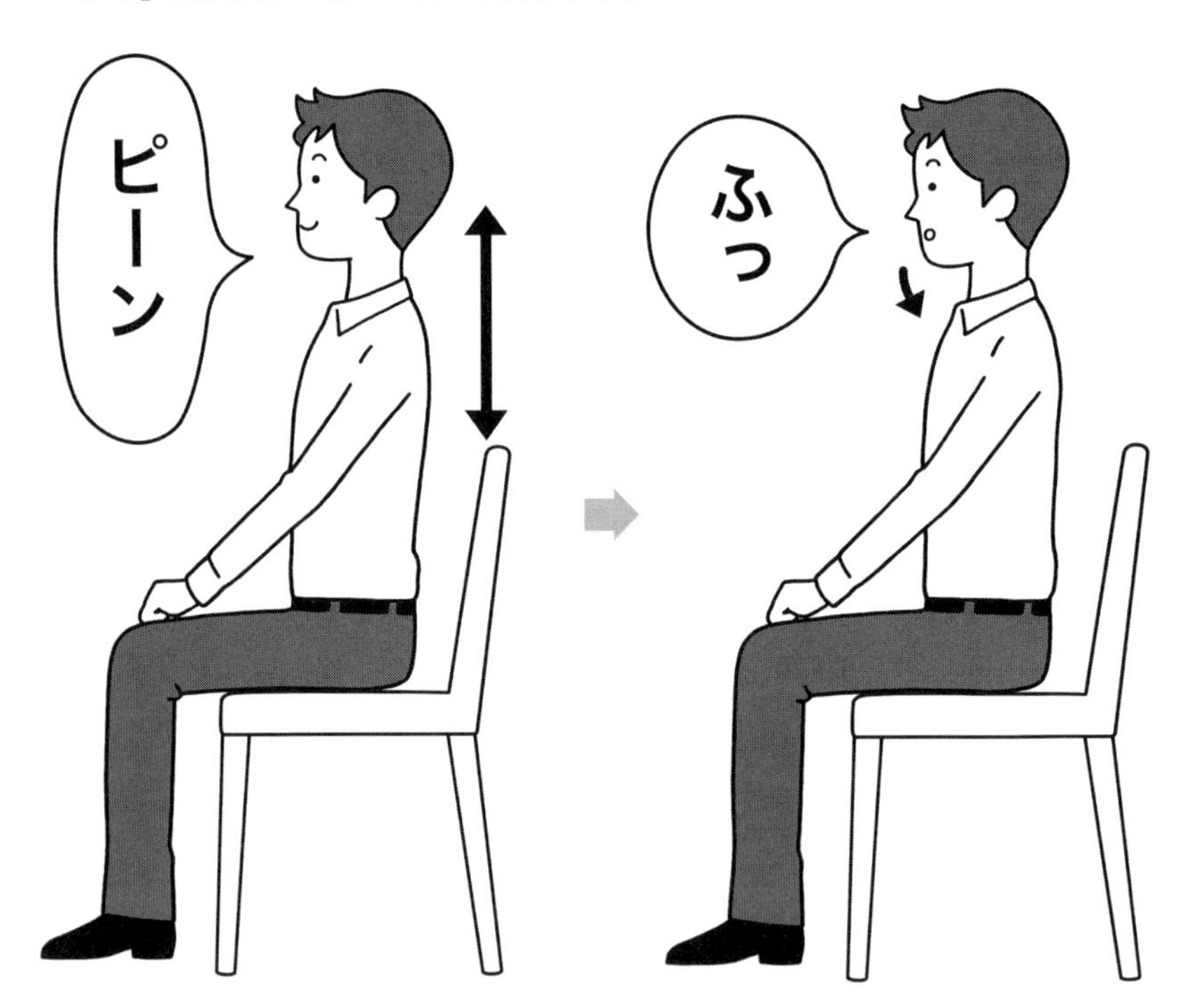

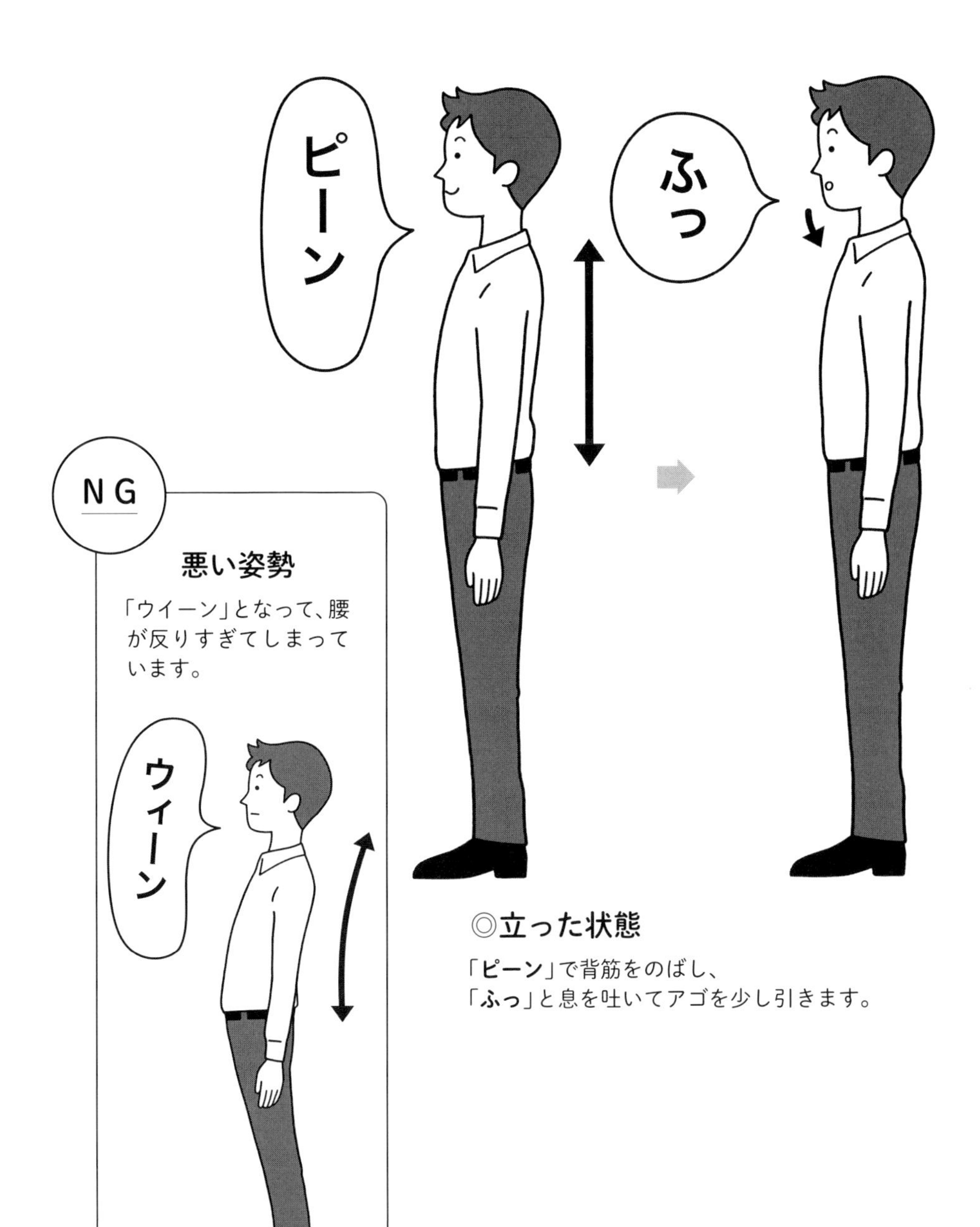

悪い姿勢

「ウィーン」となって、腰が反りすぎてしまっています。

◎立った状態

「**ピーン**」で背筋をのばし、
「**ふっ**」と息を吐いてアゴを少し引きます。

お腹から声を出す

お腹から声を出すと、声に力がこもり、気持ちが相手に届きます。

風船をイメージして、「すーっ・ふーっ」と腹式呼吸を繰り返しましょう。

人に届く声を出すためには、腹式呼吸による発声が基本です。

腹式呼吸はお腹を膨らませたりへこませたりすることで横隔膜を引き下げ、肺を広げる呼吸法。普段、多くの人が無意識に行っている胸式呼吸に比べ、肺活量が増えるのが利点です。

息がより強く、長く吐けるようになるので、胸式呼吸に比べ、声量が増し、力のこもった声が出せるようになります。

腹式呼吸は、声量を高めるための第一歩なのです。

◎オノマトペ「すーっ・ふーっ」で腹式呼吸を行います

腹式呼吸は、お腹にたっぷりと空気を入れられるので、胸式呼吸と違って吐き出す量が多くなり、声が出しやすくなります。

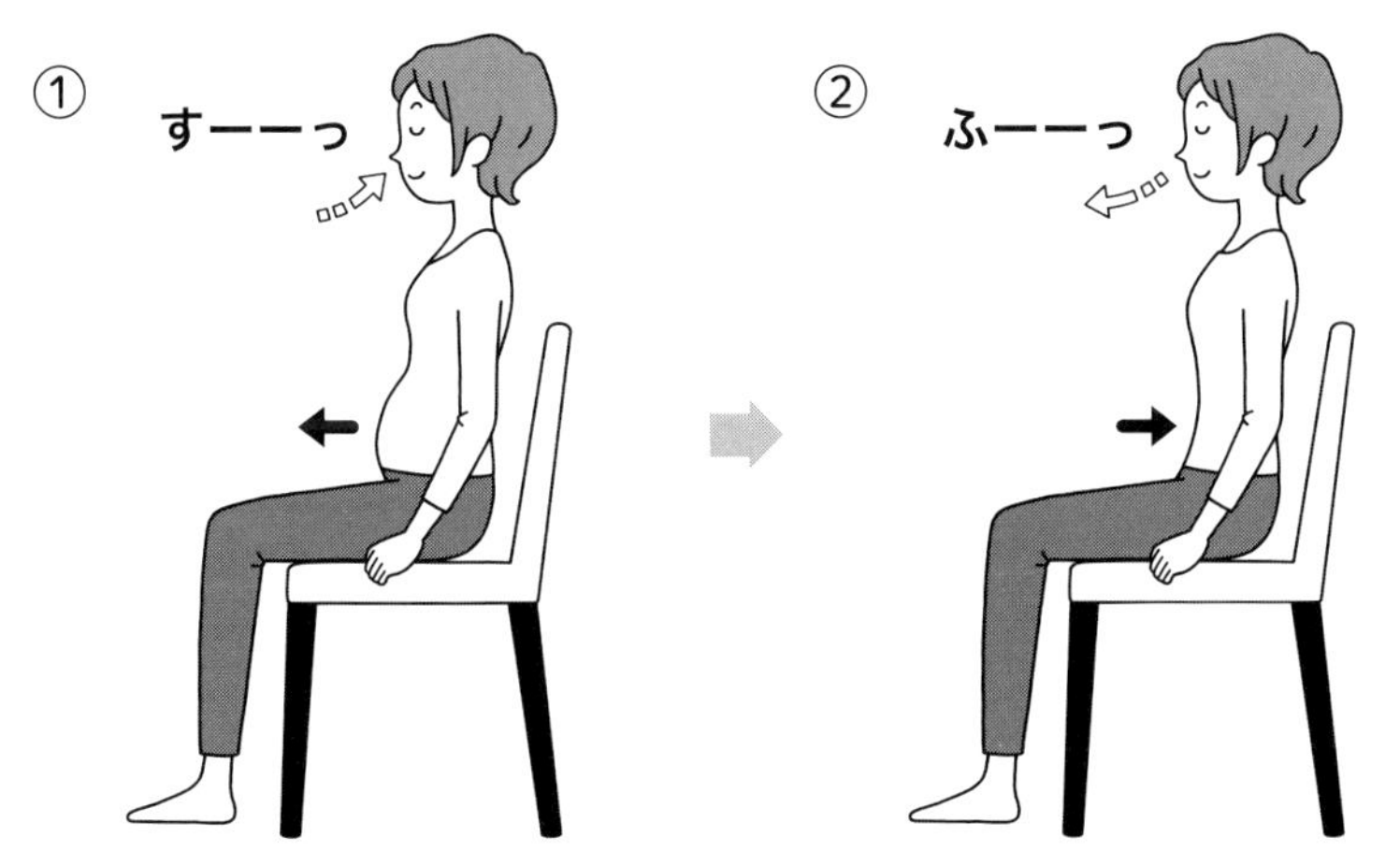

自分のお腹に風船が入っていることをイメージし、その風船に空気をゆっくり入れていくように「**すーっ**」と鼻から呼吸し、お腹を膨らませます。

膨らんだ風船の空気を、「**ふーっ**」と鼻からゆっくりすべて吐ききってください。

慣れてきたら、下記のように、徐々に呼吸の長さを増やしていきます。

- 2秒「すーーっ」と吸って、2秒かけて「ふーーっ」と吐く。
- 3秒「すーーーっ」と吸って、3秒かけて「ふーーーっ」と吐く。
- 4秒「すーーーーっ」吸って、4秒かけて「ふーーーーっ」と吐く。

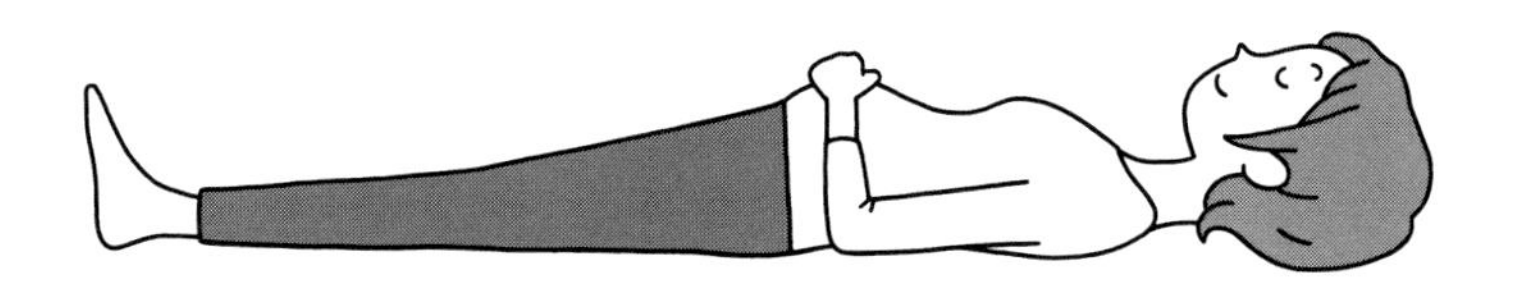

はじめは、仰向けになって、お腹に手を当てて行うと、
腹式呼吸の感覚がつかみやすいです。

声を安定させる

アナウンサーは、「あーー」と声を出し続けて肺活量を増やし、声を安定させる訓練をします。

アナウンス研修では、安定した「あーー」という声を何秒出し続けることができるかをストップウォッチで計り、だんだん長く声を出せるように訓練しました。最初は誰でもあまり長く安定した声を出せないのですが、トレーニングを重ねていくうちに、時間が少しずつ伸びていきます。

声を長くしっかり出せるかどうかは、肺活量にかかっています。肺活量が増えれば、それだけ息を長く吐くことができるようになるので、声も安定しやすくなります。

「すーっ、はーーっ」で、息を長く吐く練習です。プラスαとして心の落ち着きも手に入れましょう。

◎オノマトペ「すーっ、はーーっ」で吸った倍の息を吐き出します

吸った息の倍の時間をかけて、息を吐き出す練習を行います。

鼻から1秒吸って、口から2秒で吐き出す、鼻から3秒吸ったら、口から6秒で吐き出す呼吸法です。

声は、はじめの息の勢いのまま、最後の言葉まで発せられるのが理想。そのため、息をたっぷり吐き出す意識がとても大切です。

吸った息の倍の時間をかけて息を吐き出すことができれば、はじめの息の勢いを保ちながら、声をコントロールできるようになります。

・鼻から「**すーっ**」と1秒吸って、
口から2秒かけて「**はーーっ**」と吐く。

・鼻から「**すーーーっ**」と3秒吸って、
口から6秒かけて「**はーーーーーーっ**」と吐く。

・鼻から「**すーーーーーーっ**」と6秒吸って、
口から12秒かけて「**はーーーーーーーーーーーーっ**」と吐く。

・鼻から「**すーーーーーーーーっ**」と8秒吸って、
口から16秒かけて「**はーーーーーーーーーーーーーーーーっ**」と吐く。

この呼吸法は、自律神経研究の第一人者である小林弘幸先生(順天堂大学医学部教授)が考案された「ワンツー呼吸法」と、ほぼ同じ。声を安定させる練習をしながら、自律神経を整えることができる便利なトレーニングです。

オンライン面接や会議などで、はじめての人と話すときは、とりわけ緊張しますよね。本番前にワンツー呼吸法を行って、副交感神経(リラックスすると優位になる)を優位にしておきましょう。心身ともにリラックスした状態でよい声が出せるようになります。

声門を開く

のどが緊張していると声門がしまってしまい、
思い通りに声が出ません。

あくびの「はーっ」で、声門が開いて、
声が響いて遠くまで届くようになります！

私たちは、肺から吐き出した息で、のどの奥に左右一対でついている声帯を震わせることで声を出しています。

この声帯があるあたりを声門と呼びますが、緊張で声門がしまってしまうと、思い通りに声が出せなくなります。皆さんも、いざというときに、緊張で大きな声が出なくなってしまった経験が一度はあるのではないでしょうか。

声門を開いて響く声を出すには、あくびが出てしまうときのように、のどがリラックスしていることが大切です。

◎あくびの「はーっ」「あー」で声門が開く感覚を身につけましょう

体に余計な力が入っていない状態で声門が開くと、声が出しやすくなります。

とりわけあくびが出るときは、体の力が抜けてリラックスしているときが多いかと思います。

この練習を行う際も、できるだけ体の力を抜いてリラックスした状態をつくることが大切です。

コツは、本当にあくびが出るときと同じような表情をつくって行うことです。少しアゴを上げると、あくびがしやすくなります。

・小さく、あくびをするように、「**はーっ**」と息をゆっくり吸ってください。
　その状態から「**あー**」と声を出してみましょう。

・ほどよく、あくびをするように、「**はーーっ**」と息をゆっくり吸ってください。
　その状態から「**あーー**」と声を出してみましょう。

・大きく、あくびをするように、「**はーーーっ**」と息をゆっくり吸ってください。
　その状態から「**あーーー**」と声を出してみましょう。

口の中を大きく開く

口を大きくではなく、「口の中」を大きく開くと、力まずに通る声が出るようになります。

「あむあむ」レッスンで、口の中を大きく開くクセがつきます！

テレビの収録に行っているうちに、芸人さんは大きな口を開けて大きな声を出している人が多いけれど、アナウンサーの方たちは、大きな口を開けていないのに大きな声が出ていることに気づきました。

実は、アナウンサーのように力みのない、自然な通る声を出すには、大きく口を開けるというよりも、口の中の奥を大きく開けることのほうが重要なのです。

「あむあむ」レッスンをすると、口の中に大きな空間をつくる意識がつかめるようになります。

「あむあむ」レッスン

リンゴをかじるイメージで「**あ**」と大きく口を開けると、口の奥のほうまで開きます。

そのまま「**む**」と唇を閉じると、口の中に大きな空間ができるでしょう。

その意識を持ちながら、「**あむあむ、あむあむ**」と繰り返してください。

ブレない声を出す

声がいきなり強くなったり、弱くなりすぎないような発声を心がけます。

アナウンサーが一般的なニュースなどを読むときは、あまり強弱をつけないのが基本です。急に強くなったり弱くなったりと、強弱にブレがあると、収録中、もしくは収録後に音量を調整していただくなど、スタッフさんに余計な手間をかけることになってしまいます。オンライン面接などでも、声が急に大きくなったり小さくなったりすると、マイクが拾った音声にもブレが出て、相手にとって非常に聞きづらいものになってしまうでしょう。

「ひーー」をいろいろな音の高さでロングブレスして、ブレない声を出す練習をしましょう。

オノマトペ練習法

「ひ――」とロングブレスして、声の強弱、高低にブレがないかを確認しましょう。たっぷり吸い込んだ息を、一定の音で吐ききれれば安定した声が出ます。下の図をご覧ください。

よい「ひ――」は、一定の音の高さを保ちながら声が鳴り響きます。

一方、悪い「ひ――」は、声の高さがバラバラになってしまいます。声の高低がバラバラだと、相手は非常に聞きづらく、ストレスを感じてしまうのです。

◎一定の音の高さのまま、「ひ――」と声を伸ばし続けてください。

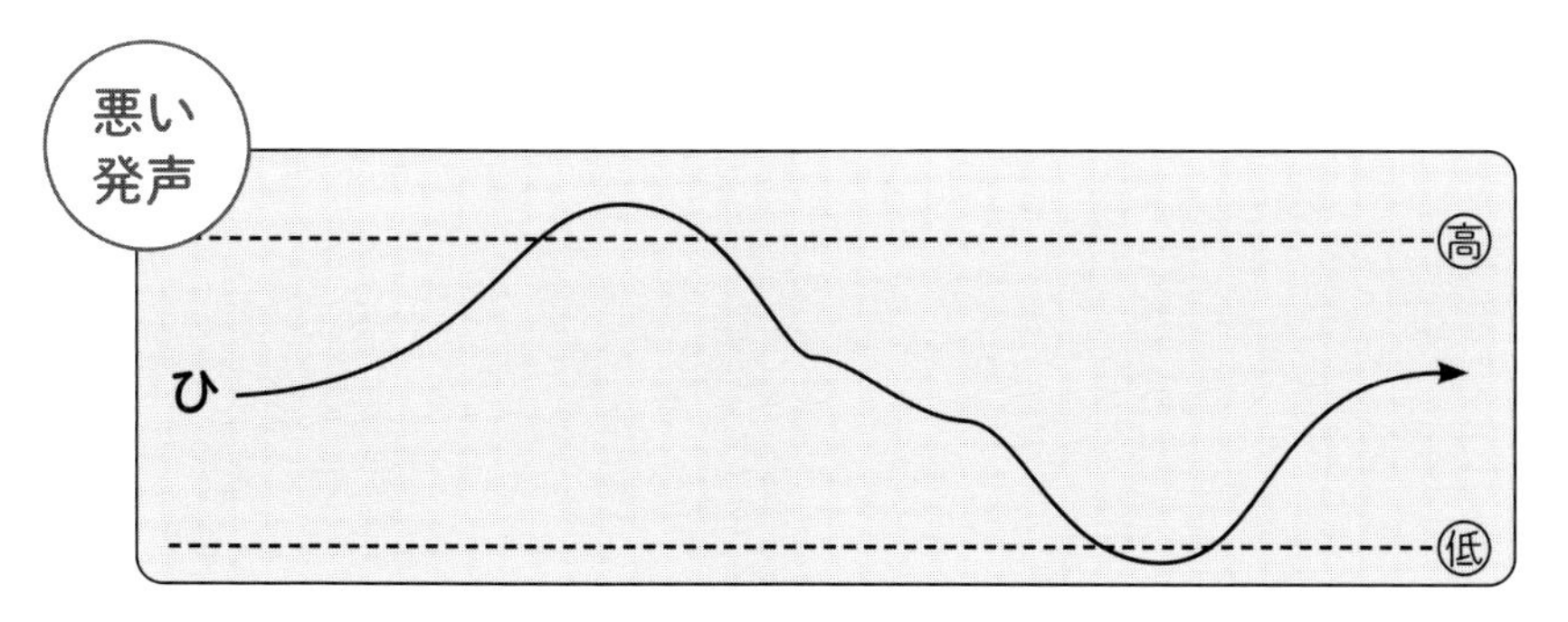

心地よい声を出す

自分が心地よい声を出せるようになると、信頼感が増し、相手との距離を縮めることができます。

実は、多くの人が、自分が本当に心地よく出せる声を認識できていません。普段、何気なく出している高さの声が、あなたの最適な声とは限らないのです。もっとも自然に無理なく響く、あなたの声を探しましょう。

基本的には、少し高めの声にすると、心地よい声になるケースが多いようです。でも、少し低めを意識したほうが、安定感が増すケースもあります。

無理につくった声は不信感を相手に与えてしまうので、あくまでも自然な心地よい声を目指しましょう。

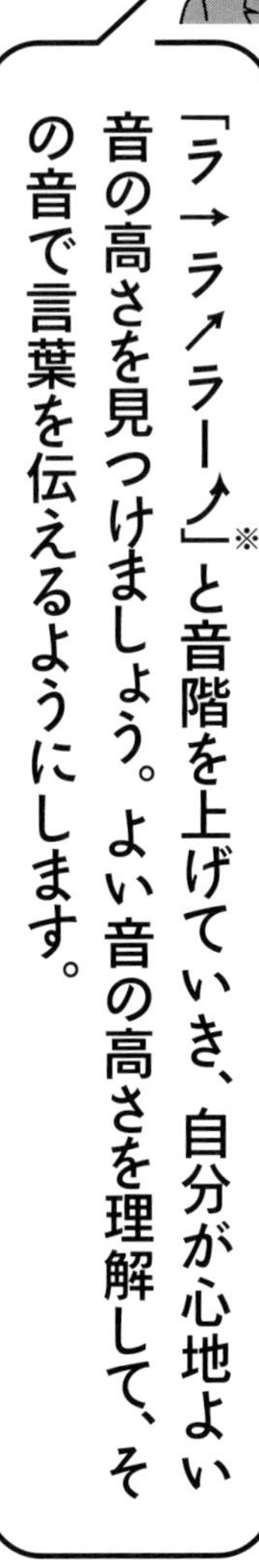

◎心地よい音程を探す

「ラ→ラ↗ラー⤴」※と段階的に音の高さを上げながら、声を響かせてみましょう。
すると自分が心地よく出せる声の高さが理解できます。

理解の際は、「この音は出しにくい・出しやすい」「発して気持ちがよい・気持ちが悪い」といったように、直感的に感じとってください。

自分が心地よいと感じたラーの音程は、他の人が聞いても心地よく、好印象に聞こえます。

練習の具体的なイメージとしては、ドレミファソラシドの音階が参考になります。はじめの「ド」の音からひとつずつ音階を上げながら、「ラー」と声を出していきます。
自分にとって心地のよい「ラー」の音が見つかったら、その音を再び出せるように、何度も何度も練習してください。

※「→」はいつもの声、「↗」はいつもより高い声、
「⤴」はさらに高い声を示しています。

鼻濁音を発声する

鼻濁音を使いこなせると、美しい発声になります。

鼻濁音（びだく）をマスターすると、とても言葉がまろやかになり、聞いている人の耳に、あなたの言葉が心地よく響くはずです。

鼻濁音とは「が・ぎ・ぐ・げ・ご」を、鼻に抜けるように出す音で、「んが・んぎ・んぐ・んげ・んご」と発声します。

ただし、単語の1番はじめに出てきた濁音は鼻濁音にならないので、語中・語尾で出てきたときに使います。

例えば、午後（ごご）の場合、1つめの「午」は通常の「ご」、2つめの「後」は鼻濁音にして「んご」と発します。続けて発声すると、「ごんご」となります。

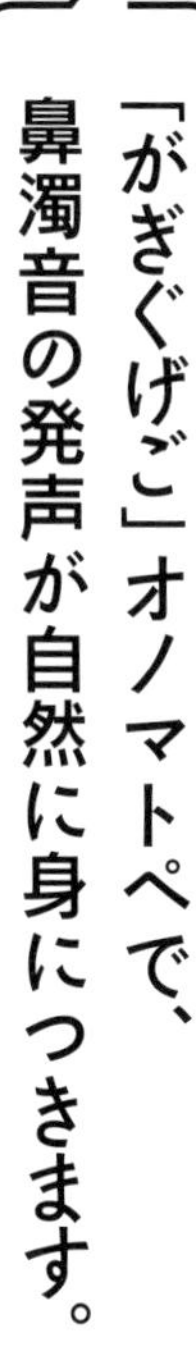

「がぎぐげご」オノマトペで、鼻濁音の発声が自然に身につきます。

◎鼻濁音が身につく「がぎぐげご」オノマトペ

たとえば「がーがー」の場合は、「がー」を発声し、次に小さい「ん」をつけて「んがー」と鼻に抜けるように発声します。
自然に発声できるようになるまで、繰り返し練習してください。

が　「がーがー」→「がーんがー」

ぎ　「ぎーぎー」→「ぎーんぎー」

ぐ　「ぐーぐー」→「ぐーんぐー」

げ　「げーげー」→「げーんげー」

ご　「ごーごー」→「ごーんごー」

が	「がきがき」	→	「がきんがき」
ぎ	「ぎざぎざ」	→	「ぎざんぎざ」
ぐ	「ぐいぐい」	→	「ぐいんぐい」
げ	「げこげこ」	→	「げこんげこ」
ご	「ごきごき」	→	「ごきんごき」

鼻濁音について注意点があります。

実は単語の1番はじめに出てきた濁音以外にも、鼻濁音にしてはいけないものもあるのです。

たとえば、外国語や外来語は原則として鼻濁音になりません。

イギリス、ジャングル、キング、ラグビー、ハンドバッグなどですね。

また、接頭語の次の「が行音」も鼻濁音にしません。お元気、お具合などは濁音で発音します。

朝御飯、静御前など、「御」を「ご」と読む場合も、ほとんど鼻濁音になりません。

ちょっと専門的な話ですが、例外があることを頭の片隅に入れておいてください。

「滑舌」が
どんどんよくなる！

正しい口の開き方

正しく、大きく口を開く練習をすれば、言葉がしっかり届くようになります。

普段話をするときは、大きな口を開ける必要はありません。でも、滑舌の練習をするときは、意識的に大きく口を開けて発音するように心がけましょう。実際にやってみると、今までちゃんと口まわりの筋肉を使わずに話していたことに気づくと思います。

大きく口を開けて話すだけで、言葉は明らかに明瞭になります。言葉がはっきりすると、相手の耳にしっかり届くようになります。

いろいろな「あいうえお」で、正しい口の開け方が手に入ります。

◎「あいうえお」の口の形を学ぶ

口にゆびが2本はいるように開ける。

口を横にひっぱるように開ける。

口の先をとがらせるように開ける。

口を軽く横にひっぱるように開ける。

口を「う」のときよりもちょっと大きく開ける。

◎「あいうえお」を正しく大きく口を開けながら発声してください

正しく、大きく口を開けながら、「あいうえお」の部分をそれぞれの指示に従って、声に出して繰り返し読んでください。

・「あいうえお」の母音の部分を意識してゆっくりと

あつあつ　いきいき　うきうき　えんえん　おいおい

・「あいうえお」の母音の部分を意識してだんだん早く

あつあつ　いきいき　うきうき　えんえん　おいおい

・「あいうえお」の母音の部分をのばして

あーつあーつ　いーきいーき　うーきうーき　えーんえーん　おーいおーい

母音を磨く

「母音」を意識して話すことで、発音が明瞭になります。

私は、今も本番前は必ず、母音を繰り返す「あえいうえおあお」や、早口言葉など、滑舌のトレーニングを最低15分は行っています。私に限らず、プロのアナウンサーは皆さんそうだと思います。

母音をしっかり意識して練習しておくと、本番で話す言葉がシャキッとして、発音が明瞭になります。何もせずに話しはじめてしまうと、言葉の輪郭がぼやけて、聞き取りづらい話し声になってしまうので、トレーニングは絶対に欠かせません。

言葉の中の「あいうえお」を一音一音はっきりと！

日本語の母音は、「あ」「い」「う」「え」「お」の5つしかありません。しかも、子音のあとには必ず母音がくるので、「あ」「い」「う」「え」「お」の口の開きがよくできていないと、明瞭な発音ができません。5つの母音の口の開き方を完璧にマスターして、よい発音ができるようにしましょう。

５つの子音オノマトペを、母音を意識して発声してください

下の５つのオノマトペを、子音と対の母音（「さ」なら「あ」、「し」なら「い」）を強調しながら、口をしっかりと開けて発声してください。

明瞭な声を出すために、「あ」「い」「う」「え」「お」の口の開き方を意識して練習を行いましょう。

手鏡などで自分の口をじっくり観察しながら行うとよいでしょう。

・「さーさー」 ➜ 「さあさあ」

・「しーしー」 ➜ 「しいしい」

・「すーすー」 ➜ 「すうすう」

・「せーせー」 ➜ 「せえせえ」

・「そーそー」 ➜ 「そおそお」

言いづらい言葉は、母音化して３回言ってみる

私は、言いづらい言葉があったとき、母音化して３回言ってみるという練習方法をとっていました。

たとえば「グルコサミン酸」なら、母音だけを取り出し、「ううおあいんあん」と、３～５回繰り返して言います。その上で「グルコサミン酸」と言ってみると、スムーズに言えるようになるのです。

ある番組でご一緒したコメンテーターの方が「グルコサミン酸」が言えなくなって困っていらしたので、その場で試していただいたのですが、その方もすぐに言えるようになっていました。

同一の母音の発声でも、テンポを変えることによって声の響きが変わってきます。声の響きが変わると、相手に与える印象も変わります。

基本は、ゆっくりと落ち着いて話すのが理想ですが、時と場合によっては早く発声する必要性やのばして発声する必要性も出てきますので、ここではその対応も兼ねて「ゆっくり」「だんだん早く」「のばす」など、いろいろなテンポで発声しながら、母音の口の開きを練習しましょう。

◎「あ」を強調しながら「あはは」のオノマトペを発声します
「**あは**あ**は**あ」をゆっくり、だんだん早く、母音をのばして、口の形を意識して発声しましょう。

◎「い」を強調しながら「いりいり」のオノマトペを発声します
「**いり**い**いり**い」をゆっくり、だんだん早く、母音をのばして、口の形を意識して発声しましょう。

◎「う」を強調しながら「うつうつ」のオノマトペを発声します
「**うつ**う**うつ**う」をゆっくり、だんだん早く、母音をのばして、口の形を意識して発声しましょう。

◎「え」を強調しながら「えへへ」のオノマトペを発声します
「**えへ**え**へ**え」をゆっくり、だんだん早く、母音をのばして、口の形を意識して発声しましょう。

◎「お」を強調しながら「おろおろ」のオノマトペを発声します
「**おろ**お**おろ**お」をゆっくり、だんだん早く、母音をのばして、口の形を意識して発声しましょう。

「゛」「゜」をしっかり出す

濁音は声帯を強く振動させてインパクトを与える音なので、力強い印象を与えることができます。半濁音は歯切れがよくて、明るい気持ちにさせてくれる音です。

濁音の部分は力が入るので、相手の耳にもグッと届きます。力強いイメージを伝えたいときに意識的にはっきり言うと効果的です。

半濁音は、明るいイメージを伝えたいときに意識的に言うと効果的です。ただし、半濁音は意識しすぎると強く立ちすぎて、逆にマイナスになります。「ぱ・ぴ・ぷ・ぺ・ぽ」は、強くなりすぎないように、やわらかな音をイメージして発音するとよいと思います。

オノマトペ練習法

濁音と半濁音には、それぞれ異なる印象があります。

濁音は、力強さがあります。例えば、怪獣の名前である「ゴジラ」や「ギドラ」の音には力強さがありますよね。もしも濁音をとって「コシラ」「キトラ」だったら力強さが弱まります。

一方、半濁音は、明るくやわらかさがあります。

コーヒーを「びちゃっ」とこぼすよりも「ぴちゃっ」とこぼすのほうがイメージ的に明るくやわらかい感じがしますよね。

そうした印象を感じながら、言葉の母音を発声してみてください。すると、自然と濁音の母音は力強い口の開きに、半濁音の母音はソフトな口の開きになると思います。

◎母音を意識して濁音と半濁音を発声してください

・があぎいぐうげえごお
・ぱあぴいぷうぺえぽお

◎母音を意識して濁音のオノマトペを発声してください

㋖ が 「がーがー」 ➜ 「があがあ」
ぎ 「ぎしぎし」 ➜ 「ぎいしぎいし」
ぐ 「ぐるぐる」 ➜ 「ぐうるぐうる」
げ 「げーげー」 ➜ 「げえげえ」
ご 「ごそごそ」 ➜ 「ごおそごおそ」

◎母音を意識して半濁音のオノマトペを発声してください

ぱ 「ぱらぱら」 ➜ 「ぱあらぱあら」
ぴ 「ぴ ぴ ぴ」 ➜ 「ぴいぴいぴい」
ぷ 「ぷーぷー」 ➜ 「ぷうぷう」
ぺ 「ぺーぺー」 ➜ 「ぺえぺえ」
ぽ 「ぽとぽと」 ➜ 「ぽおとぽおと」

ハキハキ話す

ハキハキ話すレッスンをすることで、滑舌がよくなり、声も通るようになります。

「っ」の音を瞬間的に出す練習で、ハキハキした話し方が身につきます。

ハキハキ話すことを心がけるだけで、相手が受けるあなたの印象は必ずよくなります。

ハキハキ話すとは、つまり、滑舌よく、通る声で話すということ。ここで紹介している練習法のように、「っ」の促音が続く言葉をしっかり声に出してみると、知らず知らずのうちに、腹筋を使っていることに気づくでしょう。

練習を続ければ、言葉の切れがよくなり、腹式呼吸も身につきます。

笑いのオノマトペを、下線部を強調しながら発声してみましょう

練習で発声してもらう笑いのオノマトペには「っ」の促音が、それぞれ４つ含まれています。

「っ」の音は、瞬間的に区切る特性を持っています。

例えば、星が輝く様子をオノマトペでは「きらきら」と言いますが、この「きらきら」の「ら」の後に「っ」をつけて「きらっきらっ」と発してみてください。

「っ」が入ったことで、歯切れがよくなりハキハキした感じが醸し出されます。「っ」は、腹筋に毎回力が入るようなイメージで出してみましょう。

(あ) あっはっはっはっ

(い) いっひっひっひっ

(う) うっふっふっふっ

(え) えっへっへっへっ

(お) おっほっほっほっ

口と舌の動き

アナウンサーにとって早口言葉は、口と舌の筋トレです。

早口言葉は、今も必ず本番前に行っていますが、新人アナウンサーの頃は、半年間くらい、それこそ、顔中が筋肉痛になるほど練習しました。

人によって得意な早口言葉と苦手な早口言葉があるのは、人それぞれ、ちゃんと使えていない口や舌の筋肉の場所が異なるから。

苦手な早口言葉が見つかったら、それを重点的に練習することで、口や舌のウィークポイントが減り、言いにくい言葉もはっきり、ラクに発音できるようになるはずです。

効果絶大な「オノマトペ早口言葉」で練習しましょう。

早口言葉は、アナウンサーをはじめ声を活かす職業の方の発声練習にしばしば取り入れられ、滑舌がよくなることで知られています。

ここでは、練習しながら明るい気持ちになれるオノマトペ入りの早口言葉を厳選してみました。

最初から全部を一気に言おうとすると、なかなか上達しません。文節ごとに区切りながら何回か言い、舌や唇などの構音器官の使い方のコツをまずはつかみましょう。

区切りながら言えるようになったら徐々にスピードを上げ、全部を通して読んでみると、意外とすぐに言えるようになります。

◎オノマトペ早口言葉

ミミズにょろにょろ、三にょろにょろ。
合わせてにょろにょろ、六にょろにょろ

①まずは全文を区切って、早口言葉を練習しましょう。

「ミミズにょろにょろ」 ／ 「みにょろにょろ」
／ 「あわせてにょろにょろ」 ／ 「むにょろにょろ」

②全部通して、早口言葉を練習しましょう。

「ミミズにょろにょろ みにょろにょろ あわせてにょろにょろ むにょろにょろ」

ドジョウにょろにょろ三にょろにょろ。
合わせてにょろにょろ六にょろにょろ

①まずは全文を区切って、早口言葉を練習しましょう。

「ドジョウにょろにょろ」 ／ 「みにょろにょろ」
／ 「あわせてにょろにょろ」 ／ 「むにょろにょろ」

②全部通して早口言葉を練習しましょう。

「ドジョウにょろにょろ みにょろにょろ あわせてにょろにょろ むにょろにょろ」

カエルぴょこぴょこ、三ぴょこぴょこ。
合わせてぴょこぴょこ、六ぴょこぴょこ

①まずは全文を区切って、早口言葉を練習しましょう。

「カエルぴょこぴょこ」 ／ 「みぴょこぴょこ」
／ 「あわせてぴょこぴょこ」 ／ 「むぴょこぴょこ」

②全部通して早口言葉を練習しましょう。

「カエルぴょこぴょこ みぴょこぴょこ あわせてぴょこぴょこ むぴょこぴょこ」

「話し方」が
どんどんよくなる！

好印象な話し方

オンラインはもちろん、マスクでの対話は特に、目がモノを言います。

笑顔は好印象な話し方の基本中の基本。マスクをしていると目でしか笑顔を表現できないので、特に意識したほうがいいと思います。
マスクに甘えて口角を下げたまま話していると、笑顔でないことが必ず相手に伝わってしまいます。
マスクの下でも口角を上げれば、自然と目も笑顔になり、印象がぐっとよくなります。いつも伏し目がちの人も、口角を上げるだけで、自然と目線も上がります。

「にっ」で口角を上げ、そのままの状態で話しましょう。

笑顔は、社会人としてのマナーであるといえるでしょう。
そこで「にっ」と言いながら左右の口角をキュッと上げ、そのままの状態で話してみましょう。
実は脳は、つくり笑顔も本物の笑顔も見分けがつきません。笑顔では悪口が言えないように、笑顔でいるだけで明るくポジティブな言葉と声が出やすくなるのです。
ですから、つくり笑顔で脳をだまして、いつでも自分が上機嫌になれるように上手に自分をコントロールしちゃいましょう。

◎「にっ」と自然に口角を上げて、挨拶をするレッスン

はじめに鏡の前で、「にっ」とつぶやき口角を軽く上げましょう。
このとき「にーっ」と伸ばしすぎると、口角が上がりすぎて不自然な笑顔になるので気をつけてください。また、無理やり口角を上げると、頬の筋が張って話すのが苦しくなります。
口角のベストなポジションを見つけたら、その状態をキープしたまま「おはようございます」「こんにちは」「こんばんは」と発声練習を行ってみましょう。笑顔から発せられる声は、人を惹きつけるような明るくポジティブな印象を与えることができます。

◎目が笑っているかどうかを確認

ビデオ通話やオンライン会議で使うパソコン画面に自分の顔を映し出し、マスクをつけた状態で「にっ」とつぶやきます。

目が笑顔になっているかどうかを確認してください。

もし、目が笑顔でない場合は、楽しいことを思い出しながら「にっ」と言ってみてください。

それでも目が笑顔にならない場合は、体が緊張して笑顔がつくれない状態なのかもしれません。

首と肩をくるんくるんと回して(32ページ参照)、再チャレンジしてみましょう。

オンラインでは、カメラの位置も意識して

アナウンス研修では、話し方だけではなく、カメラのどこを見るかも練習しました。

カメラの上のほうを見ると、アゴが上がった感じになってしまうので、下のほうを見るようにすると、ちょうどいい視線になるのです。

オンライン会議が日常化した今、カメラの見方に気をつけるだけで、相手に与える印象はかなり違ってくると思います。

カメラのレンズの上のほうではなく、気持ち下のほうを見るように意識してみましょう。実際に画面に自分を映して試してみると、感じがつかめると思います。

◎オンラインで会話をするときは、「じー、ふっ、にっ」で準備します

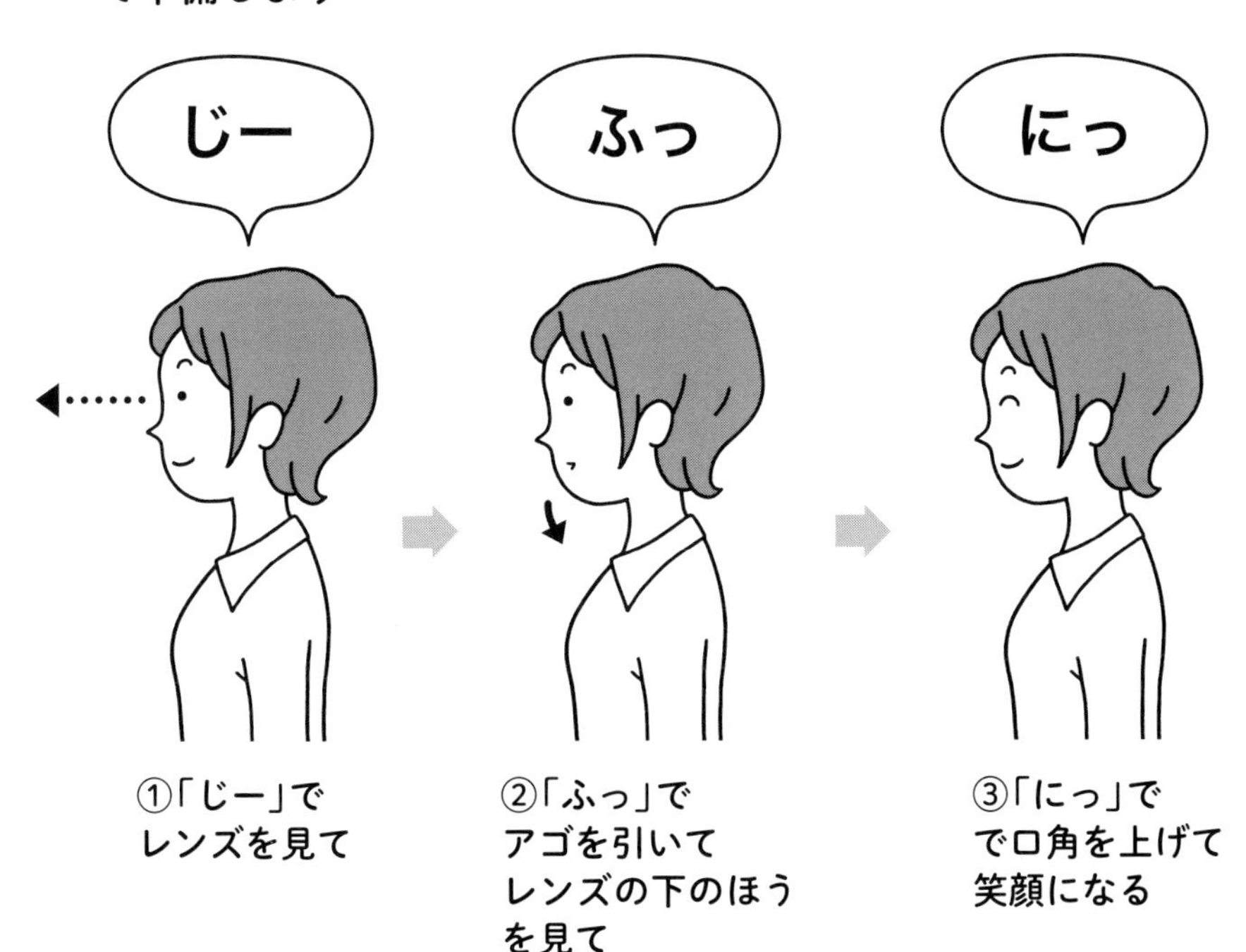

気持ちの入った話し方

感情と表情と言葉が一致していないと、相手の心に響きません。

どんな言葉を発しても、その言葉通りの感情や表情が感じられないと、相手の心には響きません。それどころか、感情と表情と言葉の間に乖離(かいり)が感じられて、不信感や不安感を抱かせてしまうこともあるでしょう。

たとえあなたが本心で感情を語っているつもりでも、表情や表現が弱いと、相手にその気持ちが伝わらないこともあり得るのです。

そんなときのために、ちゃんと言葉通りの感情が感じられる、気持ちの入った話し方のトレーニングをしておきましょう。

「喜怒哀楽」を示すオノマトペで感情をつくって話すと、気持ちの入った話し方ができるようになります。

人の感情は、イコール、表情です。そして、両者が一体となって、声に表れます。

つまり感情を入れるだけで、表情がつくられ、それに見合った声が出るのです。

うれしい話、きびしい話、悲しい話、楽しい話の状況に応じて声をデザインしてみましょう。

喜怒哀楽がこもった、感情豊かな話し方ができれば、あなたの本当の気持ちが相手にしっかり届きます。

「喜怒哀楽」を示すオノマトペのイメージで、表情と気持ちと話し方が統一した状態とそうでない状態の違いを実感してみましょう

「喜怒哀楽」を示すオノマトペのイメージから感情をつくって、次のセリフを読んでみましょう。

同じセリフでも感情を入れることによって、相手に与える印象がガラッと変わります。

喜 「にこにこ」のイメージで
→「今日も1日がんばりましょう。」

怒 「むかむか」のイメージで
→「今日も1日がんばりましょう。」

哀 「しくしく」のイメージで
→「今日も1日がんばりましょう。」

楽 「わくわく」のイメージで
→「今日も1日がんばりましょう。」

感情は少しオーバーに表現しないと伝わらないこともあります

たとえば、ちょっと疲れているときに、誰かと話していて「わーっ、すごいね」とあなたが言ったとしましょう。たとえそれが本心であっても、声や表情が沈んでいると、相手に“嘘っぽいな”と感じさせてしまうことがあります。

ですから、もし自分が疲れているなと思ったときは、いつもの２割増しくらいの表現で、「わーっ！すごいね！！」とオーバーに言ったほうが気持ちが伝わります。

その日の自分の状態をできるだけ客観視した上で、話をするときの感情表現の強さを調節できればベストです。

◎「がっかり」に感情をのせるレッスン

あなたは親友の相談にのっていると仮定します。

失恋した親友の気持ちを「がっかりだね」と共感して伝えましょう。

共感が深くなるほど、声は弱くなります。

- ただの相づち → **「がっかりだね」**
- 気持ちを理解するように → **「がっかりだね」**
- 相手の脳に入り込むように → 「がっかりだね」

落ち着いた話し方

言葉のキャッチボールを円滑に行うためにも、「間」をつくることが大切です。

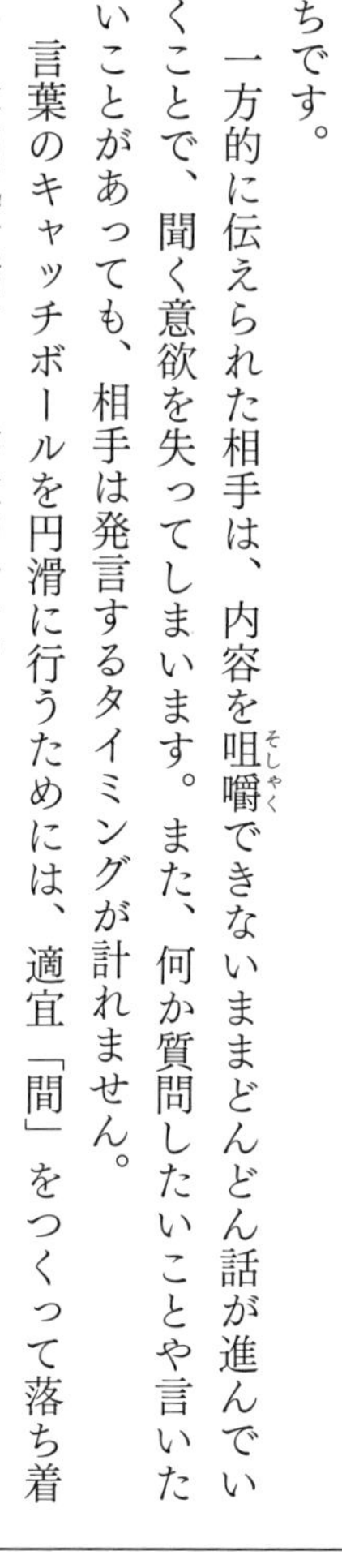

私たちは、会話中、つい次から次へと自分が話す内容ばかり考えてしまいがちです。

一方的に伝えられた相手は、内容を咀嚼(そしゃく)できないままどんどん話が進んでいくことで、聞く意欲を失ってしまいます。また、何か質問したいことや言いたいことがあっても、相手は発言するタイミングが計れません。

言葉のキャッチボールを円滑に行うためには、適宜「間」をつくって落ち着いた雰囲気で話すことが大切です。

会話の「、」の部分で、心の中で「タン」とつぶやきます。

◎「、」の部分で、「タン」と心の中でつぶやきながら、例文を読んでください

幼稚園や小学校の音楽の授業で、カスタネットでリズムをとりながら、「タン」と心の中でつぶやくことで、自然に間がとれていたと思います。
会話の間も「タン・タン」のリズムで学ぶと、ちょうどよい間隔がつかめるようになります。

会議

・みなさま（タン）本日の司会進行を務めさせていただきます（タン）○○部の○○と申します。

・結論から申し上げますと（タン）現在進行中のイベント企画は予定通り進んでおりますので（タン）ご安心ください。

・僭越ながら（タン）その案件については（タン）我が社のイメージにあうのかどうかを再検討する必要があると思います。

・せっかくの機会ですので（タン）みなさまからの忌憚のないご意見を（タン）お聞かせください。

面接試験

・本日14時から面接試験をお願いしております（タン）○○大学の（タン）○○○○と申します。

・私の長所は（タン）物事に興味をもったらそれを極めるまで研究し（タン）全力で取り組むことです。

・本日はお忙しい中（タン）面接試験をしていただき（タン）誠にありがとうございました。

抑揚のある話し方

淡々と話すだけでは、相手の心をつかめません。TPOによりますが、時には感情のこもった抑揚のある話し方をすると、相手に好印象を残すことができます。

はじめて会う人と話したとき、あなたの個性が感じられる、心にどこかひっかかる話し方をすると、相手の記憶に残り、存在を覚えてもらえることが多いと思います。相手の印象に残る話し方のポイントは、間のとり方と、緩急のつけ方、そして、感情のこもった抑揚のある声です。

社会人になると、時には相手に合わせて、本心以上の感情を言葉にのせる必要があります。そんなときでも、ちゃんと抑揚豊かな話し方ができていれば、相手の心によい印象を残せると思います。

はじめの1語目に抑揚が豊かなオノマトペ表現を使うと、後続の言葉もそのテンションのまま話すことができます。

◎シーンに合わせて、オノマトペ「わー」を抑揚つけて発声してみましょう

・社員さんにイチ押しの商品を見せてもらったとき

①ごく普通の商品を見て ➜ 「**わー**(→)※・すごい」

②ちょっとよい商品を見て ➜ 「**わー**(↗)・すごい」

③とても魅力的な商品を見て ➜ 「**わー**(⤴)・すごい」

・インターンシップの会社見学で、社員の働く様子を目にしたとき

①ノロノロ行動する社員の仕事ぶりを見て

➜ 「**わー**(→)・すごい」

②さっと行動する社員を見て

➜ 「**わー**(↗)・すごい」

③パッパッと行動する社員の仕事ぶりを見て

➜ 「**わー**(⤴)・すごい」

※「→」はいつもの声、「↗」はいつもより高い声、「⤴」はさらに高い声を示しています。

このレッスンから示唆されるように、「感激したこと」「楽しいこと」をイメージしながら話すことができれば、いつでも抑揚のある印象豊かな話し方が可能になります。

常に、②③の声を出せるようにしましょう。

正しい声量で話す

相手との距離によって、
正しい声量で話すことがとても大切です。

よく、「大きな声で話しましょう」と言いますが、大きければ大きいほどいいわけではありません。話している空間の大きさや、相手との距離によって、適切な声量が決まってきます。

さまざまな相手との距離をイメージしながら実際に声を出して、声量を調節する感覚をつかんでおきましょう。

ただし、マスクをしたりソーシャルディスタンスを保っている今、以前より大きめの声を出さなければならない機会は増えていると思います。

丸めたティッシュを投げながら、「やーっ」と言って、
正しい声量を出せるように練習しましょう。

オノマトペ練習法

ティッシュを投げながら何度か声を出してみると、距離に応じてどれくらいのエネルギーが必要かがつかめてくるはずです。1メートルずつ距離を増やしながら、徐々に声量を上げていきましょう。

本来声は、のどだけではなく全身を使って出すもの。この練習法はティッシュを投げる動作をしながら声を出すので、腹筋も必ず使うようになります。

距離に応じた適切な声量の感覚が身につくだけでなく、お腹からしっかり発声することもできるようになる、一石二鳥のトレーニングです。

声量(普)

(1メートル)

ティッシュを1メートル先に投げながら、「やーっ」と声を発します。


(2メートル)

ティッシュを2メートル先に投げながら、「やーっ」と声を発します。


(3メートル)

ティッシュを3メートル先に投げながら、「やーっ」と声を発します。


(4メートル)

ティッシュを4メートル先に投げながら、「やーっ」と声を発します。


(5メートル)

ティッシュを5メートル先に投げながら、「やーっ」と声を発します。

声量(大)

視覚に訴える話し方

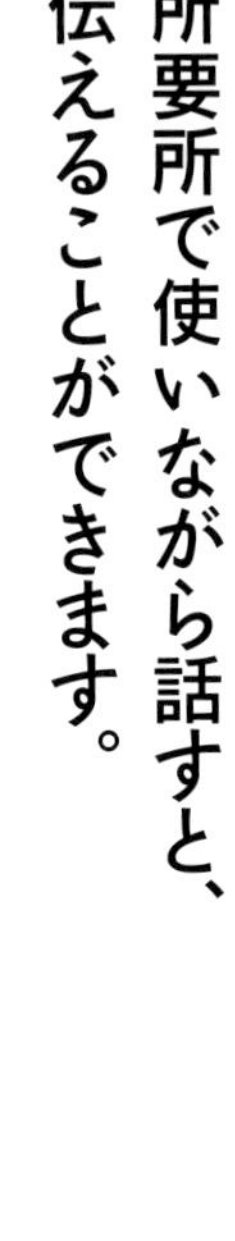

ここぞというときにジェスチャーを使うと、話のポイントが視覚的にも明確になります。

本当に伝えたいことが伝わりやすくなるので、プレゼンテーションやプロモーションのときには、効果的なテクニックといえるでしょう。

ただし、やりすぎると落ち着きがなく見えたり、幼い印象を与えてしまうことがあるので、注意が必要です。

年齢やＴＰＯによってもふさわしいジェスチャーは違ってくるので、まずは控えめに使ったほうがうまくいくと思います。

オノマトペにジェスチャーをつけて話すと、言葉以上に、視覚的に熱意が伝わります。

人と人のコミュニケーションにおいて、言葉以上に相手の印象に残るのが視覚的な情報だということが、科学的に証明されています。

たとえば面接で、まったく同じ言葉を話した場合、ジェスチャーがある人とない人では、ある人のほうが、熱意が伝わりやすいのです。

ただし、無理やりやろうとすると失敗するので、まずは自然な動きを心がけましょう。オノマトペと一緒に使うと、より相手の印象に残りやすく、効果的です。

オノマトペのセリフの部分を、イラストを参考に身振り手振りをつけて話してみましょう

ジェスチャーを混ぜながら話すと相手にポジティブな印象を与えます。
面接試験などで、ジェスチャーをつけて説明すると、熱意も伝えられます。

今日のプレゼンテーションは
バリバリ頑張ります。

この調査のデータは、私が
サクッと仕上げておきます。

契約後のフォローは、私に
ドーンとお任せください。

この資料のデータをちゃちゃっと打ち込んでおいてもらえますか。

この商品をあちらの棚へパパッと移動しておいてください。

貴社のコストを、キュッと20%もカットすることができます。

今日はいろいろなプランを聞かせていただき、ワクワクいたしました。

安心感・信頼感を与える共感的な返し

相手の話を聞くこと。これは何よりも大事な会話の基本ですが、多くの人ができていません。
それができれば、相手に安心感や信頼感を感じてもらえるようになります。

人と話をするときは、何より相手の話をちゃんと聞くことが大切です。

でも、緊張すると自分が言いたいことで頭がいっぱいになってしまい、せっかく相手が答えてくれたことが記憶に残らず、抜け落ちてしまうことがあります。これは誰にでもあり得ることですが、何度もやってしまうと、「さっき言ったのに、また聞かれた」と、信頼を失うきっかけになってしまいます。

反対に、相手の話をしっかり聞けていれば、自然と会話のキャッチボールができ、相手にも信頼してもらえるでしょう。

「オノマトペ＋相手が共感してほしいワード」を返します。

オノマトペ練習法

話を聞くときは、相手の脳に入り込むような感じで同期し、「オノマトペ（感動詞含む）＋相手が共感してほしいワード」でリアクションしましょう。
特に、相手が共感してほしい、わかってほしいと思っている部分のワードを繰り返すことがポイントです。そんな共感的な返しができていると、相手は「話を聞いてくれているんだな」と感じ、安心して話を続けてくれるでしょう。

◎下記の例文を、相手の気持ちになって読んでください

相談者：朝イチのプレゼン、人が多くてドキドキだったよ。
あなた：**へーっ**（⤴）。それはドキドキだね。

相談者：しかも、電車が事故で遅れて、会場にぎりぎり着いてさ…。
あなた：**わーっ**（⤵）。ぎりぎりかぁ

相談者：そうしたら上司から「遅い」と怒鳴られたんだよ。
あなた：**はーーっ**（⤵）。怒鳴られたんだね。辛かったね。

相談者：でも、プレゼンの内容については、上司にほめられたんだよ。
あなた：**へーっ**（⤴）。ほめられたんだ。それはうれしいよね。

相手の心をつかむ相づち

相づちは、「話をちゃんと聞いています」という相手へのメッセージです。

相手が話しているとき、適切な相づちを打てれば、相手も安心して、気持ちよく話してくれるはずです。特に、相手の立場に立った共感的な相づちを打てれば、相手は本当に話したいことを話してくれると思います。

オンラインやマスクをしての会話のときは、相づちがわかりづらいのでしっかり行いましょう。

ただし、相づちはタイミング次第では相手を急かしてしまうので、ゆっくり、自然なタイミングを心がけるとよいでしょう。

心の中でオノマトペをつぶやいてからリアクションすれば、相手への関心がより伝わります。

オノマトペと感動詞を使ったリアクションの練習

「同意」「促進」「整理」「転換」「共感」※の5種類を使い分けながら、相づちなどのリアクションをしていきましょう。

オノマトペや感動詞を心の中でつぶやいてからリアクションすると、心のこもったものになります。

次の例文で、カッコ内のオノマトペを心の中でつぶやいてから、続くリアクションの言葉を声に出して言ってみてください。

「同意」 ➜ (へーっ)+なるほど

「促進」 ➜ (ほーっ)+それで

「整理」 ➜ (んーっ)+つまり○○ですね

「転換」 ➜ (ガラッと)+話は変わりますが

「共感」 ➜ (わーっ)+大変ですね

※「同意」「促進」「整理」「転換」「共感」の使用例は、山本昭生著『誰とでも会話が弾み好印象を与える聞く技術』(サイエンス・アイ新書)から引用させていただきました。

リハーサル

上手に話すには、事前に頭の中でリハーサルすることがとても大切です。


人前で話すプロであるアナウンサーも、本番前は緊張するものです。

本番で失敗しないために、必ず原稿を確認し、話の内容はもちろん、発音に気をつけるべき言葉や強調すべき部分などをチェックした上で、段取りや体の動きも考えながら、頭の中で何度もリハーサルをしています。

これをやっておくことで、本番での緊張が減り、落ち着いて話すことができます。

皆さんも人前で話すときは、事前に必ずリハーサルをしてみてください。

気持ちが整い、きっと思い描いた通りに、上手に話せるはずです。

リハーサルのときにオノマトペを使ってイメージすれば、やる気が上がってレッスンで身につけた力をより発揮しやすくなります。

脳内で1度リハーサルをしておけば、本番は脳にとって2度目の経験になります。

誰でも、1回目より2回目のほうが、落ち着いてことに当たれるはずです。これはメンタルリハーサル法といって、オリンピック選手などがよく行っている方法です。

また、リハーサルをやると、いわゆるやる気スイッチが入るので、適度にテンションが高まり、「さあ！　やるぞ！」という前向きな気持ちになれます。

気持ちを高めて、これまでレッスンで身につけた力を、ぞんぶんに発揮してください！

オノマトペのリハーサル法

人は、ほどよくテンションが上がっていたほうが、よい声が出ます。よい声を出すためにも、話す前は、自分のテンションを上げることが大切です。それをかなえるのが、オノマトペを使ったリハーサル法です。

脳科学者の篠原菊紀先生の研究において、仕事や勉強をはじめる前にオノマトペを使って行動をシミュレーションすると、脳の線条体（やる気を司る部位）の活動が高まりやすくなり、テンションが上がることが明らかになりました。

例えば、リモート会議であれば、以下のような感じでイメージしてみましょう。

◎オノマトペでテンションを上げて、リモート会議に臨む

・私は、ピーンと背筋を伸ばしてサッとデスクに向かい、リモート会議の準備をパパッとする。

・電源をつけて、会議がスタートすると、スラスラ、ハッキリと意見を伝える。

・聞かれた質問もポンポン返し、サクサク会議を進めている。

藤野良孝
（ふじのよしたか）

オノマトペ研究家、会話評論家、博士（学術）。朝日大学保健医療学部准教授。早稲田大学国際情報通信研究センター招聘研究員、早稲田大学ことばの科学研究所研究員。

国立大学法人総合研究大学院大学文化科学研究科博士課程修了後、文部科学省所管独立行政法人メディア教育開発センター研究開発部助教、東京田中短期大学こども学科非常勤講師、朝日大学経営学部准教授、スポーツ言語学会理事を経て現職。

暮らし、スポーツ、子育て、ビジネス、コミュニケーションなどで使用されるさまざまなオノマトペの効果について多角的に研究している。日々の生活でオノマトペの効果を役立ててほしいと願い、テレビ、ラジオ、講演などを通じて、その普及に努めている。

海保知里
（かいほちさと）

フリーアナウンサー。絵本専門士。育児セラピスト2級。

東京女子大学卒業後、1999年TBSテレビ入社。「サンデー・ジャポン」「はなまるマーケット」「CDTV」などバラエティ番組、情報番組のアシスタントを務めるほか、ラジオ番組などでも活躍。2008年、9年間のアナウンサー生活を経てTBSテレビを退社。2007年結婚、ロサンゼルス・ニューヨークでの生活を経験し2014年帰国。一女一男の母でもある。

現在、CSムービープラス「プレミア・ナビ」ナビゲーター。「カンヌ映画祭生中継」司会など映画関連の仕事も多く担当。“日本語と英語による絵本の読み聞かせ”は独自のスタイルで子どもが楽しんでくれることをモットーに活動している。


あなたの「声」と「滑舌」がどんどんよくなる本

2021年 2月5日　第1刷

著　　者　藤野良孝（ふじのよしたか）
　　　　　海保知里（かいほちさと）
発 行 者　小澤源太郎

責任編集　株式会社 プライム涌光

電話　編集部　03(3203)2850

発行所　株式会社 青春出版社

東京都新宿区若松町12番1号〒162-0056
振替番号　00190-7-98602
電話　営業部　03(3207)1916

印刷　大日本印刷　　製本　フォーネット社

万一、落丁、乱丁がありました節は、お取りかえします。

ISBN978-4-413-11350-2 C0095